Des mains
pleines de doigts

© Éditions Nathan/HER (Paris-France), 2001
Conforme à la loi n° 49956 du 16 juillet 1949 sur les publications destinées à la jeunesse
ISBN 209275075-5

N° de projet : 10085539 - (I) - 9 - CSB 170 - Mars 2001 - Impression et reliure : Pollina s.a., 85400 Luçon - n° L83224

FRANÇOIS DAVID

Des mains
pleines de doigts

Illustrations de Natali Fortier

NATHAN

un

Quand ça gratouillait

Eɴ ᴄᴇ ᴛᴇᴍᴘs-ʟà, l'homme venait tout juste d'être créé. Il avait une tête, mais pas de casquette. Il avait des cheveux, mais pas de brosse et pas de peigne. Il avait des jambes, mais pas de pantalon, ni de bermuda, ni de short. Il avait des pieds et des orteils, mais pas encore de chaussettes, ni de chaussons. Il avait des bras, il avait des avant-bras pleins de poils et des mains, mais il n'avait pas de doigts.

Donc il ne pouvait pas porter de gants, même quand il faisait froid.

Mais un beau jour, grâce au Bon Dieu, un petit doigt est arrivé sans faire de bruit. L'homme n'en revenait pas d'avoir soudain un doigt au bout de sa main droite. C'est qu'il était joli, son doigt, tout mignon, mignon.

En plus, il pouvait se le mettre dans le nez. À l'époque, personne ne venait l'embêter en lui disant : « Laisse ton nez, espèce de dégoûtant ! » ou « Ne te mets pas le doigt dans le nez, petit cochon ! » Il était tranquille ! C'était la belle vie !

Ce n'est que pour se gratter les oreilles qu'il éprouvait des difficultés. Pour se gratter le front, ou la nuque, ou la joue, aucun problème : son petit doigt nouveau était vraiment parfait ! Mais l'homme était très gêné pour se

gratter une oreille si l'autre se mettait tout à coup à le démanger. Il la grattait alors à son tour, mais quand la première le grattait de nouveau, il ne savait vraiment plus comment s'y prendre.

Or, un jour, le diable qui passait par là lui dit :

– Ce qu'il te faut, c'est un autre petit doigt. Ce n'est pas difficile. Il suffit de mettre celui-ci dans ta bouche. Tiens-le entre tes dents, lèche-le longtemps, puis tire bien fort. Ainsi ton petit doigt s'allongera, il deviendra un grand doigt et tu n'auras qu'à le couper pour en avoir deux.

L'homme, depuis, passait ses journées à sucer son doigt et à le tirer le plus possible en espérant le voir grandir. Cela amusait beaucoup le méchant diable.

Mais heureusement, le Bon Dieu eut pitié de l'homme. Surtout, il eut peur qu'il finisse par se faire mal. Aussi un matin, lorsque l'homme se réveilla, il découvrit au bout de sa main gauche un petit doigt qui ressemblait comme un frère à celui de la main droite.

C'était merveilleux. Enfin il allait pouvoir se gratter les deux oreilles à la fois. Ou même encore se gratter une oreille tout en ayant un doigt dans le nez. Décidément, la vie était belle, belle ! Tellement belle !

deux

Une bonne surprise

Depuis qu'il avait le bonheur de pos-
séder deux petits doigts, l'homme
n'arrêtait pas de les admirer. Il les
trouvait tellement pratiques !

Il pouvait s'en servir pour toucher. Il
pouvait s'en servir pour soulever. En
plus, en mettant ses deux petits doigts
sur sa tête, de chaque côté, il pouvait
imiter le diable et ses cornes. C'était
très amusant.

Souvent l'homme allait près d'un lac et, les petits doigts tendus au-dessus de ses cheveux, il jouait à faire le diable.

Cependant, un après-midi, en se penchant vers un étang, il vit qu'il y avait deux diables dans l'eau au lieu d'un.

– Qu'est-ce que tu fais ? Tu te moques de moi ? demanda le vrai diable à l'homme en train de l'imiter.

– Eh bien, dit l'homme. Je… Je… Je…

– Tu vois, dit le diable, tu ne peux rien répondre ! Eh bien, je me vengerai !

L'homme se dit alors que c'était trop bête de se faire ainsi un ennemi. Ah ! Si seulement il avait pu se placer quelques doigts de plus sur la tête, son image n'aurait pas ressemblé à celle du diable !

Le Bon Dieu, à qui rien n'échappe,

comprit vite quel était son problème.
Alors le lendemain, quand l'homme
se réveilla et voulut regarder ses deux
doigts, il s'aperçut qu'il en avait
quatre : les petits doigts d'avant plus
deux grands.

L'homme était si content... Au
diable les soucis ! La vie était belle,
tellement belle !

trois

Son petit doigt
lui a dit...

Le diable, peu après, repassa comme par hasard dans les parages.

– C'est moi que tu cherches ? demanda l'homme.

– Oui ! Comment le sais-tu ?

– C'est mon petit doigt qui me l'a dit ! Et puis je sais que tu adores me narguer.

– Moi ? dit le diable. Pas du tout. J'aime au contraire dire des choses

gentilles. J'aime poser des questions qui font plaisir. Par exemple, tiens : qu'est-ce que tu as là ?

– Là ? Eh bien, justement, c'est mon petit doigt. Celui qui sait tout sur toi !

– Oui, mais là ?

– Ah ! Ça, c'est mon très grand doigt. Il est magnifique, hein ?

– Mais c'est quoi, ce grand creux qui ne sert à rien, entre ton grand doigt et ton petit doigt ? Tu ne trouves pas ça ridicule et moche ?

– Eh !… Je ne sais pas, répondit l'homme. Je n'y ai pas fait attention.

Le diable éclata de rire et, pendant des jours et des jours, l'homme n'arrêta plus de bouder.

Le Bon Dieu fit semblant de ne pas s'en apercevoir. Quand il demandait à l'homme :

– Ça va ?

– Ça va, ça va, répondait l'homme.

– Sûr ? demandait le Bon Dieu.

– Sûr que c'est sûr ! répondait l'homme en essayant de sourire.

Seulement il ne montrait qu'une vilaine grimace. En fait, il était toujours très contrarié par ce que lui avait dit le diable. Et il se demandait si celui-ci n'était pas déjà en train de se venger. L'homme essayait alors de tirer sur ses lèvres avec ses doigts en se disant qu'ainsi il pourrait faire croire au Bon Dieu qu'il souriait.

Or premièrement, on ne peut pas tromper le Bon Dieu. Deuxièmement, l'homme ne pouvait pas laisser les doigts sur sa bouche tout le temps. Et troisièmement, quand il avait relâché ses doigts, il n'y avait pas plus de sourire qu'avant. Et l'homme refaisait la tête.

Le Bon Dieu laissa l'homme bouder encore pendant des semaines. Mais le jour de son anniversaire, il le consola tout à fait en lui faisant cadeau d'un nouveau doigt à chaque main, entre le très grand et le tout petit. Et l'homme retrouva son sourire.

Il n'arrêtait pas de bouger ses doigts qui se touchaient presque. Il les bougeait le jour, il les bougeait la nuit ; il imitait les ailes des oiseaux. Mais surtout, tous ces doigts lui étaient dorénavant d'un grand secours pour ramasser les cailloux et pour faire des ricochets. Dommage qu'à l'époque l'homme n'eût pas encore inventé la chasse et la pêche, parce que ça l'aurait bien aidé aussi.

En revanche, pour manger les fruits, comme c'était facile désormais ! Auparavant, il fallait avancer la bouche comme ça, la mâchoire en avant, les lèvres dans le vent ; et souvent l'homme croquait dans le vide, ou bien il avalait l'air au lieu de déguster les fruits. À présent, avec six doigts, cela devenait un jeu d'enfant et la vie, qui était déjà belle, devenait plus que plus belle. Elle était épatante, la vie de l'homme, maintenant qu'il pouvait la vivre avec six doigts !

quatre

À pied ou à cheval ?

Peu après, le diable vint à repasser dans les parages. L'homme lui fit aussitôt un signe en agitant les mains le plus possible comme pour lui dire :

– Ah ! Regarde ! Je n'ai plus de trou entre les doigts ! Na na na ! Vois comme mes doigts sont voisins. Vois comme ils se touchent presque. Mais ils sont agiles cependant.

Le diable ne sut d'abord pas comment réagir.

Mais il se reprit vite et il demanda à l'homme :

– Et si quelqu'un passe par ici…

– Quelqu'un…? Que veux-tu dire par quelqu'un ?

– Je ne sais pas, moi : un autre homme…

– Un autre homme ! Mais qu'est-ce que c'est que ça, un autre homme ? Arrête tes histoires ! Je sens bien que tu veux me faire marcher !

– Alors, disons, un cheval. Si un cheval passe près de chez toi, comment t'y prendras-tu donc pour lui indiquer qu'il doit s'arrêter et que tu veux monter sur son dos ?

– Eh bien, je me servirai justement de mes doigts. Je lui ferai signe. Comme je t'ai fait signe à toi…

– Ah ! Parce que tu crois peut-être que je vais te porter sur mon dos ?

– Oh, non ! Toi, tu es le méchant diable. Mais le cheval…

– Le cheval ! Tu imagines qu'il s'arrêtera juste pour te faire plaisir, le cheval ! Eh ! Homme ! Pour qui tu te prends ?

– Mais... qu'est-ce que je pourrais faire, d'après toi, pour qu'un cheval s'arrête et me prenne sur son dos ?

– Je n'en sais rien. Essaie des trucs et tu verras. Après tout, si tu fais des pieds et des mains, peut-être que tu réussiras.

L'homme ne comprit pas bien ce que le diable voulait dire par « fais des pieds et des mains ». Il avait comme ça, parfois, de drôles d'expressions. L'homme se demandait s'il était sérieux ou s'il se moquait de lui. Pour le savoir, il fallait qu'un cheval passe dans les parages.

L'homme attendit ainsi presque toute une saison. C'était à croire qu'il n'y avait aucun cheval sur Terre.

Finalement, au début du printemps, un joli pur-sang galopa devant chez lui. Tout de suite l'homme se leva, cria et remua ses mains pleines de ses six doigts. Mais le cheval fit celui qui ne s'apercevait de rien. Alors l'homme se rappela que le diable lui avait parlé aussi de ses pieds : il s'allongea sur le dos et il se mit à les agiter. Il écarta au maximum ses orteils. Mais malgré cela, le cheval n'approcha pas. Il poursuivit sa galopade et il ne détourna pas un sabot pour emmener l'homme.

« Zut ! se dit celui-ci. Le diable s'est encore bien fichu de moi ! J'ai fait des pieds et des mains pour rien. »

L'homme était ennuyé. Il se demandait s'il allait réussir un jour à attraper un cheval et le convaincre de monter sur son dos ! L'homme cherchait, cherchait. Il cherchait tellement qu'il ne pensait même pas à bouder comme d'habitude quand il trouvait la vie moins belle. Ah ! Beaucoup, beaucoup moins belle !

cinq

Un bon coup de pouce

L'HOMME faisait dans sa tête des projets et des calculs. Il se disait :

« Il faut que j'aie quelque chose en plus pour attraper le cheval. Avec trois doigts presque pareils, je ne peux rien faire. Ce qu'il me faudrait, c'est un doigt plus gros et plus trapu. En le rapprochant des autres doigts, je pourrais peut-être arrêter le cheval ou m'agripper à sa crinière… En tout cas, je suis sûr que ça peut me servir. »

– Quoi ? Qu'est-ce que tu marmonnes ? lui demanda le Bon Dieu qui venait lui rendre une petite visite.

– Eh bien, je n'ose pas trop vous demander après tout ce que vous avez déjà fait pour moi. Mais ce qui serait bien, vous voyez, c'est que j'aie un nouveau doigt différent des autres qui me pousse au bout de chaque main. Vous croyez que vous pourriez faire ça ?

– Bien sûr que je peux le faire, répondit le Bon Dieu un peu vexé. Est-ce que tu oublies que je peux tout faire !

Et il lui fit pousser immédiatement deux autres doigts qu'il appela des « pouces ».

L'homme était content mais, pour se réjouir tout à fait, il avait besoin d'un cheval. Aussi, dès que le pur-sang

repassa, l'homme se leva d'un bond et tendit le pouce pour l'épater. Au début, le cheval ne ralentit pas. L'homme se demanda si le cheval n'allait pas lui refaire le coup de la fois d'avant. Mais soudain, le cheval aperçut le pouce que l'homme tenait dressé. Alors, comme par enchantement, il freina, il dépassa juste un tout petit peu l'homme, puis s'arrêta comme pour lui dire : « Viens ! Viens donc ! Tu vois bien que je t'attends. »

L'homme n'en revenait pas. Il n'aurait pas osé espérer que le cheval se laisse faire si vite que ça. Il monta sur son dos et il s'offrit immédiate-ment un très grand tour.

Pour l'homme, ce fut une impor-tante conquête. Bien sûr, ce n'était pas encore tout à fait de l'auto-stop car un cheval n'est pas une voiture, même

pas une deux-chevaux. N'empêche !
Grâce au pouce, ce fut la première
fois que l'homme apprivoisa le cheval. La vie redevenait belle, si belle !

six

Le Bon Dieu s'énerve

Toutefois, au bout de quelque temps, l'homme jugea que son bonheur n'était pas encore parfait. Il lui manquait quelque chose. Et il profita de la première occasion pour en parler au Bon Dieu.

Cela tombait mal ; le Bon Dieu s'approchait au contraire pour récapituler tout ce qu'il avait fait pour lui :

– Homme, tu as désormais huit doigts. Tu peux faire des ricochets et du cheval-stop. Est-ce que tu mesures ta chance ?

– Oh oui, merci ! Je suis très content. Seulement, parfois je vois le diable qui vient me rendre visite et me provoquer. Et je m'aperçois bien qu'il a deux doigts de plus que moi. C'est pas juste !

– Comment ? hurla le Bon Dieu en haussant la voix comme jamais depuis que l'homme le connaissait (et cela faisait beaucoup de jours et de jours et de jours, surtout à les compter uniquement sur huit doigts). Tu ne voudrais tout de même pas être pareil au diable ! cria le Bon Dieu.

– Oh, non, non ! répondit l'homme. Je ne veux pas être méchant comme lui. Je ne veux pas avoir son visage et ses cornes. Je ne veux surtout pas avoir ses doigts crochus. Mes doigts que vous avez sculptés me plaisent beaucoup mieux. Ils sont parfaits comme ils sont. Je n'en voudrais changer pour rien au monde. Mais simplement le nombre, mon Bon Dieu ! Donnez-moi deux doigts de plus, aussi beaux que les huit autres. Pour que je ne puisse plus jamais avoir rien à craindre du diable. Pour qu'il ne puisse plus me narguer.

Le Bon Dieu ne répondit pas. Pour la toute première et dernière fois de sa vie, l'homme eut l'impression de l'entendre prononcer un gros mot. Mais le soir même, l'homme avait ses dix doigts.

sept

La merveille
des merveilles

Dès qu'il eut tous ses doigts, l'homme appela le diable pour lui annoncer la nouvelle. Il se plaça juste en face de lui en le regardant fixement. Il posa son pouce droit devant son nez et le pouce gauche devant son petit doigt droit.

Puis l'homme écarta largement ses dix doigts et il les agita à toute vitesse en criant :

– Tralalalalè-re ! Tralalalalè-re !

Le diable était fou de rage : personne – bien sûr – n'avait encore pu
lui faire ça !

– C'est insupportable ! répétait-il.
Ça n'a pas de nom !

– Évidemment, dit l'homme, ça n'a
pas de nom, puisque le Bon Dieu n'a
pas eu le temps d'en inventer. Tiens, si
je lui demandais d'en trouver un…
Bon Dieu ! appela-t-il alors de toutes
ses forces.

– Bon Dieu de Bon Dieu ! répliqua
le Bon Dieu. Mais qu'est-ce que c'est
encore que ce tapage ?

– C'est moi, dit l'homme. Vous
voyez ce que je fais avec mes doigts
au bout de mon nez ?

– Bien sûr, dit le Bon Dieu, tu te
moques du diable. C'est bien fait pour
lui. Ça lui fait les pieds.

– Oui, mais comment vous appelez ça ?

– Un pied de nez.

– Oh ! Bravo ! Bravo ! s'écria l'homme en levant ses mains et en les claquant vivement l'une contre l'autre.

Alors le diable, furieux de voir l'homme applaudir pour la première fois et chercher à flatter ainsi le Bon Dieu, dit très fort :

– Si ça lui sert à ça, ses dix doigts, ce n'était vraiment pas la peine !

Pourtant, l'homme n'y prêta aucune attention. Il détourna la tête et il ne regarda même pas le diable s'enfuir en grognassant, rouge de rage.

Maintenant, l'homme se concentrait exclusivement sur ce qu'il pouvait faire de ses nouveaux doigts. Avec le tout dernier, il se mit à dessiner sur le sol.

Il traça d'abord une ligne très fine, puis une autre ligne, plus jolie encore ; puis il dessina d'autres lignes légères qui commencèrent à s'arrondir, à se croiser, à se toucher et presque à danser. Ensuite il les effaça en remuant la terre et il recommença. Il réussit, petit à petit, à réaliser des formes de plus en plus subtiles et de plus en plus étonnantes. Pour finir, il réalisa un vrai chef-d'œuvre, aux proportions parfaites, d'une beauté éblouissante.

Il était tellement fier de sa magnifique création qu'il la montra tout de suite au Bon Dieu.

– Elle te plaît tant ? demanda le Bon Dieu.

– Oh oui ! fit l'homme.

– Et tu vas l'aimer ?

– Ah ! De toute mon âme.

– Alors, pour la rime, je vais l'appeler « hippopotame » puisqu'il faut bien aussi lui trouver un nom.

– Oh, non ! Ce n'est pas assez joli pour elle ! S'il te plaît, Bon Dieu, garde plutôt ce nom pour un animal.

– D'accord. Je vais l'appeler « flamme ». Ça, c'est beau ! Ça pète le feu ! Ça sonne bien !

– Oui, mais c'est un petit peu dur à prononcer.

– Oh ! Dis donc, toi, l'artiste, tu fais le difficile maintenant ? Eh bien, nommons-la « femme » si tu préfères. Est-ce que cela te convient ?

– Merveilleusement ! fit l'homme, tout ému.

Et il posa ses dix doigts sur son cœur.

TABLE DES MATIÈRES

François David

François David est né à Paris, mais il vit dans le Cotentin, merveilleuse région qui ressemble à un petit paradis. Il a publié de nombreux ouvrages pour la jeunesse, souvent traduits à l'étranger. Plusieurs ont fait l'objet de spectacles.

Natali Fortier

Natali Fortier s'est très vite attachée à ce texte, qui a pour elle un côté théâtre burlesque. Pendant qu'elle dessinait les trois personnages, elle entendait leurs conversations. Cela la faisait rire de les voir se chamailler, se narguer, se réconcilier.

Naturellement, elle est attirée par le diable, ses cornes, sa cape. Mais dans cette histoire, Dieu aussi a du caractère et cela l'a beaucoup amusée qu'il soit souvent exaspéré par l'homme. Tenter, par leurs expressions, de leur donner un peu de vie, c'est ce qu'elle aime le plus au monde (ou presque).